¡El autobús venía a llevarme!

—¡Pónganse en fila! —dijo Seño—. Cuando salgamos quiero que vengan conmigo todos los que van en autobús. El resto puede ir hasta el cruce donde está el guardia.

Todos se pusieron en fila. Yo era la última.

En ese momento sonó la campana y Seño salió por la puerta. Todo el mundo la siguió.

Pero ¿sabes qué?

Que yo no.

Junie B. Jones

y el

autobús tonto y apestoso

por Barbara Park
ilustrado por Denise Brunkus

SCHOLASTIC INC.
New York   Toronto   London   Auckland   Sydney
Mexico City   New Delhi   Hong Kong   Buenos Aires

A Cody —
que no llegó a tiempo al autobús
e inspiró este libro

Originally published in English as *Junie B. Jones and the Stupid Smelly Bus*
Translated by Aurora Hernandez.

ISBN 13: 978-0-545-01450-2
ISBN 10: 0-545-01450-6

16 15 14 13   17 18 19/0

Printed in the U.S.A.
First Spanish printing, September 2007

NOTA DEL EDITOR: Al igual que en la versión original en inglés, los errores gramaticales y de uso de algunas palabras que aparecen en el libro son intencionales y ayudan al lector a identificarse con el personaje.

Contenido

Junie B. Jones
y el
autobús tonto y apestoso

1 / Seño

Me llamo Junie B. Jones. La B es de Beatrice, solo que a mí no me gusta Beatrice. Me gusta la B y ya está.

Tengo casi seis años.

Cuando tienes casi seis años te toca ir a kindergarten. Kindergarten es el sitio donde vas a hacer amigos y a no ver la tele.

Mi kindergarten es del tipo de la tarde.

Hoy fue mi primer día de escuela. Aunque ya había visitado antes el salón.

La semana pasada, mamá me llevó a conocer a mi maestra.

Era el Día de Conocer a la Maestra. Mi maestra estaba decorando la pared con las letras del abecedario.

—Yo ya me sé todas esas letras —le dije—. Las puedo cantar. Pero ahora no me apetece.

Mi maestra me dio la mano. Solo que la de ella era muy grande.

Se llama Seño algo, no me acuerdo muy bien. Seño dijo que yo estaba muy mona.

—Ya lo sé —dije—. Es porque llevo mis zapatos nuevos.

Levanté un pie en el aire.

—¿Ve como brillan? Los limpié con saliva antes de ponérmelos. ¿Y sabe qué más? —dije—. Que esta es mi mejor gorra. Me la compró el abuelo Miller. ¿Ve los cuernos de Lucifer que salen por los lados?

Seño sonrió. Pero no sé por qué. Porque los cuernos de Lucifer dan miedo.

Luego paseamos por el salón y me enseñó dónde estaban las cosas. Como los caballetes para pintar. Y los estantes para los libros. Y las mesas donde nos sentamos y no vemos la tele.

Una de las mesas en la parte de delante del salón tenía una silla roja.

—Yo me quiero sentar ahí —dije.

—Ya veremos, Junie —dijo Seño.

—¡B! —dije—. ¡Llámeme Junie B.!

Dije B muy alto. Para que no lo olvidara.

La gente siempre olvida la B.

Mamá puso los ojos en blanco y miró hacia el techo. Yo también miré, pero no vi nada.

—¿Vas a tomar el autobús, Junie B.? —me preguntó Seño.

Yo moví los hombros arriba y abajo.

—No sé. ¿Adónde va ese autobús?

Mamá asintió con la cabeza.

—Sí, vendrá en autobús.

Eso me hizo sentir un poco de miedo por dentro. Porque nunca he ido en autobús.

—Ya, pero ¿adónde va? —volví a preguntar.

Seño se sentó en su mesa. Después ella y mi mamá hablaron más sobre el autobús.

Yo le di golpecitos a Seño.

—¿Sabe qué? Que sigo sin saber adónde va.

Seño sonrió y dijo que el conductor del autobús se llamaba Sr. Woo.

—Sr. Woo —dijo mamá—. A Junie B. no le costará nada recordar ese nombre.

Me tapé las orejas y di pisotones.

—YA, PERO ¿ADÓNDE VA EL TONTO DEL AUTOBÚS ESE?

Mamá y Seño fruncieron el ceño.

Fruncir el ceño es cuando haces que tus cejas parezcan que están de mal humor.

—Pórtate bien, señorita —dijo mamá.

Me llaman señorita cuando me meto en líos.

Miré mis zapatos. Ya no estaban tan brillantes como antes.

Justo entonces llegaron otra mamá y un niño. Y Seño fue a hablar con ellos en vez de conmigo. No sé por qué. El niño se escondía detrás de su mamá y se portaba como un bebé. "A ese niño yo le puedo", pensé.

Después de eso, mi mamá me sentó y me explicó el asunto del autobús. Dijo que era amarillo. Y que se llama autobús escolar. Y que tiene una parada al final de mi calle.

Solo me tengo que subir. Y sentarme. Y me lleva a la escuela.

—Tu maestra te estará esperando en el estacionamiento —dijo mamá—. ¿Qué te parece, Junie B.? ¿No crees que será divertido?

Le dije que sí con la cabeza.

Pero por dentro dije la palabra no.

2/**Preocupada**

Estuve toda la semana preocupada por el autobús. Y la última noche, cuando mi mamá me acostó, me sentí enferma.

—¿Sabes qué? —dije—. Creo que mañana no quiero ir en autobús a kindergarten.

Entonces mamá me despeinó con la mano.

—Sí, claro que quieres —dijo.

Después me dio un beso y dijo:

—Será divertido. Ya verás. No te preocupes.

Pero sí me preocupé. Me preocupé mucho. Y ni siquiera pude dormir bien.

Así que esta mañana me sentía de lo más dormida cuando me desperté. Y tenía nervios en el estómago. Y no pude comer el cereal.

Me quedé viendo la tele hasta que mamá dijo que era la hora de irse.

Entonces, me puse mi falda que parece de *ciertopelo*. Y mi suéter nuevo rosa peludito. Y comí medio sándwich de atún.

Después de eso, mamá y yo fuimos a la esquina a esperar el autobús.

¿Y sabes qué? Que allí estaba otra niña con su mamá. La niña tenía el pelo negro y rizado, que es mi tipo de pelo favorito.

Pero no le dije hola. Porque ella vive en otra calle. Creo.

Por fin vimos el enorme autobús amarillo dar la vuelta a la esquina. Y los frenos chirriaron muy alto. Y me tapé las orejas.

Entonces se abrió la puerta.

Y el conductor del autobús dijo:

—¡Hola! Soy el Sr. Woo. ¡Suban!

Solo que yo no me subí. Porque mis piernas no querían moverse.

—Creo que no quiero ir en este autobús a kindergarten —le volví a decir a mamá.

Entonces ella me dio un empujoncito.

—Vamos, Junie B. —dijo—. El Sr. Woo está esperando. Pórtate como una niña mayor y sube.

Miré por las ventanas. La niña con el pelo negro y rizado ya se había subido. Estaba sentada en su sitio. Y parecía contenta.

—Mira qué bien se porta esa niña, Junie B. —dijo mamá—. ¿Por qué no te sientas a su lado? Será muy divertido. Te lo prometo.

Así que me subí al autobús.

¿Y sabes qué?

Que no era divertido.

3 / El autobús tonto y apestoso

El autobús no se parecía en nada al auto de mi papá. Era enorme por dentro. Y los asientos no tenían tela.

La niña del pelo rizado estaba sentada en la parte de delante. Le di unos golpecitos.

—¿Sabes qué? —dije—. Mi mamá me dijo que me sentara aquí.

—¡No! —dijo—. ¡Estoy guardándole el sitio a mi mejor amiga, Mary Ruth Marble!

Entonces puso su bolsito blanco en el asiento donde me iba a sentar.

Le hice una mueca.

—Vamos, encuentra un sitio —dijo el Sr. Woo.

Así que me senté muy rápido al otro lado del pasillo de la niña mala. Y el Sr. Woo cerró la puerta.

No era una puerta normal. Se doblaba por la mitad. Y cuando se cerraba, hacía un ruido muy raro.

No me gustan esas puertas. Si te quedas en medio sin querer y cierra, te corta en dos, y entonces tú haces ese ruido raro.

El autobús rugió. Entonces salió un humo negro por la parte de atrás. Eso se llama aliento de autobús. Creo.

El Sr. Woo manejó durante un rato. Entonces volvió a hacer chirriar los frenos. Me tapé las orejas para que no se metiera el ruido en mis oídos. Porque los chirridos altos se te meten en la cabeza y tienes que tomar una aspirina. Lo vi en un anuncio de la tele.

Entonces, se volvió a abrir la puerta del autobús. Y subió un papá con un niño que tenía una cara gruñona.

El papá sonrió. Entonces colocó al niño gruñón a mi lado.

—Este es Jim —dijo—. Me temo que esta tarde Jim no está de muy buen humor.

El papá le dio un beso al niño de despedida. Pero el niño se lo limpió.

Jim tenía una mochila. Era azul.

Me encantan las mochilas. Ojalá tuviera una. Una vez me encontré una mochila roja en la basura. Pero estaba un poco sucia y mamá dijo que no me la podía quedar.

La mochila de Jim tenía muchos cierres. Los toqué todos.

—Uno… dos… tres… cuatro —conté.

Después abrí uno.

—¡OYE! ¡PARA! —gritó Jim.

Lo volvió a cerrar. Y se cambió al asiento de delante.

No me cae nada bien el tal Jim.

Después de eso, el autobús siguió moviéndose y parándose. Y se subieron muchos niños. Niños ruidosos. Y algunos parecían malos.

Así que el autobús se llenó de ruidos y empezó a hacer calor. El sol me daba en la cara y en mi suéter peludito.

Y además, no podía bajar la ventana porque no tenía mango. Así que cada vez tenía más y más calor.

Y encima olía mal. El autobús olía a sándwich de ensalada de huevo.

—Quiero salir de aquí —dije muy alto. Pero nadie me oyó—. No soporto este autobús tonto y apestoso.

Entonces mis ojos se mojaron un poquito. Pero no estaba llorando. Porque no soy un bebé. Por eso.

Después de eso, empezó a caer agüita de mi nariz. Y además, el autobús no tenía *compartimientos*, que es donde se guardan los pañuelitos de papel. Así que me tuve que limpiar la nariz con la manga de mi suéter rosado peludito.

Luego me quedé en el autobús durante una hora o tres. Hasta que por fin vi una bandera y el parque.

¡Eso quería decir que habíamos llegado a kindergarten!

Entonces, el Sr. Woo manejó el autobús hasta el estacionamiento y se detuvo.

Yo pegué un salto. ¡Porque me moría por salir de aquel sitio tan tonto y apestoso!

¿Pero sabes qué? Que Jim me empujó y se coló. Y la niña del pelo rizado también. Y toda la gente empezó a apretujarse. Así que los empujé de vuelta. Y ellos me volvieron a empujar.

¡En ese momento me caí! Y un pie enorme pisoteó mi falda que parece de *ciertopelo*.

—¡BASTA! —grité.

Entonces, el Sr. Woo gritó:

—¡UN MOMENTO!

Y me levantó. Y me ayudó a salir del autobús.

Seño me estaba esperando como había dicho mamá.

—¡Hola! ¡Me alegro de verte! —dijo.

Entonces, salí corriendo hacia ella. Y le

enseñé la huella que habían dejado en mi falda que parece de *ciertopelo*.

—Sí, ya, pero mire lo que ha pasado. Me han pisoteado y ahora estoy sucia.

Seño pasó la mano por encima.

—No te preocupes, Junie —dijo—. Eso se quita.

Después de eso me crucé de brazos y fruncí el ceño.

Porque ¿sabes qué?

Que se volvió a olvidar de la B.

4 / Yo y Lucille y otros niños

Algunos de los niños que iban en el autobús estaban en mi salón.

Uno de ellos era Jim.

Ese Jim que me cae tan mal.

Seño nos hizo ponernos en fila. Después la seguimos hasta el salón. Se llama Salón Nueve.

Había más niños esperando en la puerta. Cuando Seño la abrió, todos se metieron a la vez.

El Jim ese me pisó. Me hizo un arañazo

en mi zapato nuevo. De esos arañazos que no se quitan con saliva.

—¡OYE! ¡TÚ! ¡TONTO! ¡MIRA POR DONDE VAS! —le grité.

—Vamos a intentar hablar más bajo cuando estemos en la escuela —dijo Seño, agachándose hasta mí.

—Es que me cae fatal —dije muy educada en voz baja.

Después de eso, Seño dio unas palmadas muy fuertes.

—Quiero que todos busquen una silla y se sienten lo más rápido posible —dijo.

Entonces, fui corriendo a la mesa de la silla roja. Pero ¿sabes qué? ¡Que ya se había sentado alguien allí! Era una niña con las uñas rojas.

Así que le di unos golpecitos y le dije:

—Yo quiero sentarme ahí.

—No —dijo—. Aquí estoy yo.

—Sí, solo que yo ya había elegido ese sitio —le dije—. Pregúntale a mi mamá si no me crees.

Pero la niña dijo que no con la cabeza.

Entonces, Seño volvió a dar palmadas muy fuertes.

—¡Por favor, busca una silla! —dijo.

Así que me tuve que sentar muy rápido en una silla tonta y amarilla.

Del mismo color tonto que el autobús tonto.

Después de eso, Seño fue hasta un armario que había al fondo del salón. Se llama el armario del material. Sacó unas cajas con crayones nuevos y afilados y unos círculos blancos.

Luego los repartió. Y tuvimos que escribir nuestros nombres en los círculos y ponérnoslos en la camisa.

Fue nuestro primer trabajo.

—Si necesitan ayuda para escribir su nombre, levanten la mano —dijo Seño.

Yo levanté la mano.

—Yo no necesito ayuda —dije—. La abuela Miller dice que escribo fenomenal.

Usé el crayón rojo. Pero entonces hice un error. Escribí JUNIE demasiado grande y no había sitio para la B. Así que la tuve que apretujar y hacerla muy pequeñita en la parte de abajo.

—¡ODIO ESTE CÍRCULO TONTO!
—grité.

Seño dijo *shhh* y me dio otro círculo.

—Gracias —dije muy simpática—. La abuela Miller dice que escribo fenomenal.

La niña de las uñas rojas era más rápida que yo. Me enseñó su círculo y señaló sus letras.

—L-U-C-I-L-L-E. Así se escribe Lucille —dijo.

—Me gusta el nombre de Lucille
—dije—. ¿Sabes por qué? Porque tengo
una gorra con cuernos de Lucifer. Pues
por eso.

Después, Seño nos dio papel para
dibujar. Y dibujamos a nuestras familias.

Seño puso una carita sonriente en mi
dibujo.

Era muy bueno. Solo que dibujé a mi
papá muy pequeño. Y los pelos de mamá
parecían palos.

Después de eso, Seño nos llevó a todos
a dar una vuelta por la escuela. Todos
teníamos que ir con un compañero.

Mi compañera era Lucille. Nos dimos
la mano.

El niño al que le puedo estaba enfrente
de nosotras. Su compañero era Jim.

El Jim ese que me cae mal.

Lo primero que visitamos fue la

biblioteca, que es donde están los libros. ¿Y sabes qué? ¡Que los libros son mis cosas favoritas del mundo mundial!

—¡OYE! ¡AQUÍ HAY *TROPECIENTOS MIL* LIBROS! —grité muy contenta—. ¡ME ENCANTA ESTE SITIO!

La bibliotecaria se agachó hasta mí. Me dijo que hablara en voz baja.

—¡YA! PERO ¿SABE QUÉ? QUE ME GUSTAN LOS LIBROS CON DIBUJOS. PERO MAMÁ DICE QUE CUANDO SEA GRANDE ME VAN A GUSTAR LOS QUE SOLO TIENEN PALABRAS. Y TAMBIÉN LAS ALCACHOFAS.

—Shhh —dijo el niño al que le puedo.

Le enseñé mi puño.

Él se dio la vuelta.

Después de eso fuimos a la cafetería. La cafetería es donde comen los niños. Pero no cuando estás en kindergarten.

—¡Ummm! —dije—. ¡Aquí huele muy rico! ¡Huele a *paguetis* con albóndigas!

Entonces el tal Jim se dio la vuelta y se tapó la nariz.

—¡Tararí, tararú, cómo apestas tú! —dijo.

Lucille se rió muy alto.

Así que le solté la mano.

Después, fuimos a la oficina de la enfermera.

Es un sitio muy lindo. Hay dos camitas donde te puedes tumbar. Y dos mantitas de color a cuadros.

La enfermera no parece una enfermera. No lleva ropa blanca ni zapatos blancos. Ella viste de color normal.

Lucille levantó la mano.

—Mi hermano dijo que el año pasado vino aquí. Y se quitó los zapatos. ¡Y tomó un vaso de agua en calcetines!

El tal Jim volvió a darse la vuelta.

—¡Tararí, tararés, qué mal huelen tus pies! —le dijo a Lucille.

Esta vez Lucille le sacó la lengua.

Después de eso nos volvimos a dar la mano.

5 / Director

Después de ver a la enfermera, fuimos a la oficina más importante. Allí es donde vive el jefe de la escuela. Se llama Director.

Director es medio calvo.

Nos habló.

Después, Lucille levantó la mano.

—Mi hermano dijo que el año pasado vino aquí. Y que usted le gritó. Y que ahora ya no puede pegar más a los niños durante el recreo.

Director se rió un poquito. Después,

sujetó la puerta para que saliéramos.

Luego fuimos a la fuente de agua. Y Seño nos dejó beber. Yo no bebí mucho. Porque los niños no paraban de darme golpecitos.

—Date prisa, niña —decían.

—Ya, pero ¿saben qué? Que no me llamo así —les dije.

—Se llama Junie Bebe —dijo Lucille.

Todos se rieron. Pero a mí no me pareció un chiste muy divertido.

Después de eso, Seño nos mostró dónde estaban los baños.

En nuestra escuela hay dos tipos de baños. El tipo de niños. Y el tipo de niñas. Yo no puedo ir al de niños. Porque ahí no pueden entrar las niñas.

Intenté meter la cabeza, pero Seño chasqueó los dedos.

El niño al que le puedo fue el único niño que entró en el baño. No paraba de moverse.

Luego empezó a correr por todas partes. Y se sujetaba la parte de delante de los pantalones.

—¡William! —dijo Seño—. ¿Tienes que ir al baño?

—¡SÍ! —gritó William y se metió volando.

El resto nos fuimos andando al salón.

Toqué las uñas de Lucille. Dijo que usaba un esmalte de uñas que se llama Súper Súper Rojo.

—A mí también me gustaría pintarme las uñas de rojo —dije—. Pero mi mamá solo me deja usar el esmalte que hace que brillen. Se llama Transparente. La saliva es de color transparente.

—No me gusta nada el transparente —dijo Lucille.

—A mí tampoco —dije—. Y tampoco me gusta el amarillo, que es el color del autobús tonto de la escuela.

Lucille asintió con la cabeza.

—Mi hermano dice que cuando vuelves a casa en autobús, los niños te tiran leche con chocolate en la cabeza.

Entonces me empezó a doler la barriga otra vez. Porque tenía que volver a casa en autobús. Pues por eso.

—¿Por qué me dijiste eso, Lucille? —dije un poco gruñona.

Cuando volvimos al Salón Nueve, trabajamos un poco más. Jugamos un juego para aprender los nombres de los demás.

Aprendí el nombre de Lucille. Y de una niña que se llama Charlotte. Y de otra niña que se llama Grace. Aprendí el nombre de un niño que se apellida Tocino, como algo que comemos en casa de la abuela Miller.

Al poco rato, Seño dio unas palmadas.

—Muy bien. Escuchen todos. Recojan

sus cosas. Está a punto de sonar la campana.

Entonces, oímos un ruido en el estacionamiento. Era el chirrido de los frenos. Miré por la ventana. Y vi el autobús escolar.

¡Venía por mí!

—¡Oh no! —dije un poco alto—. ¡Ahora me tiraran leche con chocolate en la cabeza! —Me mordí las uñas.

—¡Pónganse en fila! —dijo Seño—. Cuando salgamos quiero que vengan conmigo todos los que van en autobús. El resto puede ir hasta el cruce donde está el guardia.

Todos se pusieron en fila. Yo era la última.

En ese momento sonó la campana y Seño salió por la puerta. Todo el mundo la siguió.

Pero ¿sabes qué?

Que yo no.

6 / Un buen escondite

Cuando eres el último de la fila nadie se fija en ti. Por eso nadie me vio cuando me escondí debajo de la mesa de mi maestra.

Yo soy muy buena para esconderme.

Un día, en casa de la abuela Miller, me escondí debajo del lavadero de la cocina. Luego lancé un rugido y me abalancé sobre ella.

Ya no me dejan hacer eso nunca más.

El caso es que me quedé escondida

debajo de la mesa de mi maestra durante un buen rato. Hasta que encontré un sitio mejor para esconderme. Era el armario del material que hay al fondo del salón.

Así que salí corriendo hacia allí superrápido. Y me apretujé debajo del último estante, encima de las cartulinas.

Estaba bastante cómoda. Menos la cabeza, que entraba muy justa. Y tenía las rodillas dobladas como cuando vas a dar un salto mortal.

Cerré la puerta casi del todo.

—Pero no la cierres del todo. De verdad —dije en voz alta.

Me quedé quieta durante un montón de minutos. Entonces oí ruidos en el pasillo. Y entraron unos pies corriendo al salón. Creo que eran pies de persona mayor.

—¿Qué ocurre? —oí a alguien preguntar.

—Una de mis niñas se ha perdido —dijo una voz que sonaba como la de Seño—. Se llama Junie B. Jones. Y no estaba en el autobús. Así que ahora tenemos que buscarla.

Entonces oí el ruido de unas llaves. Y los pies volvieron a salir corriendo. Y la puerta se cerró.

Todavía no podía salir del armario. Si te sabes esconder bien, no puedes salir en mucho tiempo.

Me quedé ahí toda doblada. Y me

conté un cuento. No un cuento en voz alta. Me lo conté a mí misma. Se llamaba "La niña escondida".

Me lo inventé yo. Era así:

Érase una vez una niña que se había escondido. Estaba en un lugar secreto donde nadie podía encontrarla. Solo que su cabeza estaba muy apretujada. Y se le estaban aplastando los sesos.

Pero no podía salir de su escondite porque se la comería un monstruo apestoso y amarillo. Y también unos niños malos con leche con chocolate.

Fin.

Después dejé que descansaran mis ojos. Dejar descansar los ojos es lo que hace mi abuelo cuando ve la tele después de cenar. Entonces ronca.

Y la abuela Miller dice:

—Frank, vete a la cama.

No es lo mismo que una siesta. Porque las siestas son para bebés. Pues por eso.

Y además, yo no ronco. Yo solo babeo un poquito.

Cuando mis ojos dejaron de descansar, se despertaron.

Así que salí del armario y fui corriendo a la ventana. ¿Y sabes qué? Que no había autos en el estacionamiento. ¡Y tampoco estaba el autobús apestoso!

—¡Puf! ¡Qué alivio! —dije.

Estar aliviado es cuando ya no tienes dolor de barriga.

Después de eso, volví al armario. Porque cuando estaba escondida sentí el olor de la plastilina. ¡Y la plastilina es mi cosa preferida del mundo mundial!

—¡Ahí estás! ¡Te veo! —dije.

La plastilina estaba en el estante del medio. Me subí a una silla para agarrarla.

Era azul y dura. Así que tuve que ponerla en el piso y *amasajarla* para que se pusiera blandita. Se convirtió en azul anaranjada. Muy linda. Solo que se habían pegado pelos y porquería.

Cuando terminé, fui a la parte de delante del salón y me senté en la silla grande de mi maestra. Me encantan las mesas de los maestros. Las gavetas son tan grandes que me podría meter adentro.

Abrí la gaveta de arriba. Había pegatinas de caritas felices. Y gomas. Y también estrellas doradas, que me chiflan.

Me puse una en la frente.

Luego encontré los clips. Y los marcadores rojos. Y lápices nuevos sin afilar. Y tijeras. Y pañuelos de papel. ¿Y sabes qué más?

—¡Tiza! —grité—. ¡Tiza nueva que ni siquiera la han sacado de la caja!

Me puse de pie en la silla de mi maestra y di palmadas muy fuertes.

—¡Quiero que todo el mundo vaya a su silla y se siente! Hoy vamos a aprender el abecedario y vamos a leer. Y además, les voy a enseñar cómo hacer azul anaranjado. Pero antes quiero que todos me vean dibujar.

Entonces, fui al pizarrón y dibujé con las tizas nuevas. Dibujé un frijol y una zanahoria y unos pelos rizados.

Después escribí unas Os.

Las Os son mis *supermejores* letras.

Después de eso, hice una reverencia.

—Muchas gracias —dije—. Ahora ya pueden ir todos al recreo.

Sonreí.

—Todos menos Jim.

7 / Agujeros y espías

Después de un rato, me empezó a dar un poquito de sed. Eso es lo que pasa cuando se te mete el polvo de tiza en la garganta.

—Creo que quiero beber algo —dije.

Entonces, me puse las manos en la cadera.

—Claro, pero ¿qué pasa si alguien te ve en la fuente de agua? Llamarían al autobús tonto y apestoso y vendrían a buscarte. Así que mejor no vayas.

Di un pisotón.

—Ya, solo que tengo que ir. ¡Porque tengo tiza en la garganta!

¡De repente se me ocurrió una gran idea! Acerqué una silla a la puerta. ¡Y me asomé por la ventanita que hay arriba en la puerta!

Soy una espía muy buena.

Una vez espié dentro de la boca de la abuela Miller cuando estaba durmiendo. Y vi esa cosa que cuelga en el fondo de la boca. No la toqué. Porque no tenía un palo ni nada parecido.

El caso es que no vi a nadie en el pasillo. Así que abrí un poquito la puerta. Y olisqueé. Porque cuando olisqueas puedes oler si hay gente cerca.

Aprendí a olisquear con mi perro Cosquillas. Los perros lo huelen todo. La gente solo puede oler las cosas que huelen mucho. Como la peste y las flores y la cena.

—No, no huelo a nadie —dije.

Salí corriendo hasta la fuente de agua y bebí durante un buen rato. Y nadie me dio golpecitos y me dijo "Apúrate, niña".

Después de eso me puse de puntillas. Y fui así hasta la biblioteca. ¡Porque me encanta ese sitio! ¿Te acuerdas?

La biblioteca es como un fuerte. Los estantes son como los muros. Y los libros son como ladrillos. Y los puedes mover y hacer agujeros.

Los agujeros sirven para espiar.

Así, si ves a alguien acercarse, respiras sin hacer ruido. Y no te encuentran.

Espié durante mucho rato. Pero no vino nadie. Los únicos que estábamos en la biblioteca éramos yo y unos peces.

Los peces estaban en una pecera muy

grande. Los saludé con la mano. Luego los removí con un lápiz.

Me encantan los peces. Los como en la cena con ensalada.

¡Justo entonces vi mi cosa favorita del mundo mundial! ¡Se llama un sacapuntas eléctrico! ¡Y estaba justo en la mesa de la bibliotecaria!

—¡Oye! —dije muy contenta—. ¡Creo que sé cómo se usa eso!

Entonces, miré dentro de la gaveta.

¿Y sabes qué? ¡Que adentro había un montón de lápices nuevos!

¡Así que los afilé!

¡Era súper, superdivertido! Porque el sacapuntas eléctrico hace un ruido muy gracioso. Y puedes hacer que los lápices sean tan pequeñitos como quieras. Lo único que hay que hacer es apretarlos más hacia adentro. Y cada vez se hacen más y más pequeñitos.

Pero no funciona con los crayones. Lo intenté con uno rojo. Pero el sacapuntas empezó a ir más despacio. Y luego hizo un ruido como rrrrr-rrrrrr. Y después de eso, ya no funcionó más.

¡Entonces oí algo! Eran pies. Y me asustaron mucho. Porque no quería que me encontraran.

Me agaché y miré por el agujero.

Entonces vi a un señor con un cubo de basura. Cantaba "Ay, ay, ay, ay, canta y no llores". Yo conozco esa canción. Es de unos mariachis famosos.

El señor del cubo no me vio. Siguió andando por el pasillo. Luego oí que salía. Me quedé escondida durante mucho rato. Pero nunca volvió.

Después busqué un sitio mejor para esconderme.

8 / La oficina peligrosa de la enfermera

¿Sabes adónde fui? ¡Directo a la oficina de la enfermera! ¡Por supuesto! ¡Porque te puedes esconder debajo de esas mantitas de cuadros!

También hay otras cosas geniales. Como una báscula para pesarse. Y un cartel con una E gigante y otras letras.

La enfermera usa ese cartel para examinarte los ojos. Señala las letras. Y tú tienes que gritar los nombres.

La E la tienes que gritar más alto que

ninguna. Por eso es tan grande.

¿Y sabes qué más vi en la oficina de la enfermera? ¡Curitas! ¡Me encantan esas cosas!

Estaban encima de la mesa. Así que abrí la caja. Y las olí.

—Ummm —dije—. Porque las curitas huelen a pelota nueva de playa.

Luego las saqué. ¡Eran las curitas más lindas que había visto en mi vida! ¡Había rojas y azules y verdes! Y también amarillas. Pero odio ese color.

También había de distintas formas. Había cuadrados y círculos. Y algunas eran alargadas, que se llaman *retángulos*. Creo.

Me puse una verde y redonda en la rodilla. Porque ahí es donde me hice daño al caerme en la acera la semana pasada. Aunque ya está casi bien del todo. Pero si la aprieto mucho con el dedo todavía me duele.

Después de eso, me puse un *retángulo* azul en el dedo. Ahí es donde me clavé una astilla de la mesa del jardín. Mamá la sacó con unas pinzas. Pero creo que sigue un trozo de mesa ahí dentro.

También me puse una roja y cuadrada en el brazo. Ahí fue donde me arañó Cosquillas.

Justo entonces vi el suéter morado de la enfermera. Estaba encima de la silla.

Me lo puse.

—Ahora soy la enfermera —dije.

Entonces me senté. Hice que llamaba al hospital.

—Hola, ¿hospital? Soy yo, la enfermera. Necesito más curitas y aspirinas y jarabe para la tos. Pero no de ese que hace que se te duerma la boca.

Y también necesito piruletas para cuando ponga inyecciones a los niños.

Y también necesito palos o algo así, por si tengo que tocar la cosa esa que cuelga del fondo de la boca.

Luego hice que llamaba al Salón Nueve.

—Hola, ¿Seño? Por favor, mande al tal Jim ese a mi oficina. Tengo que ponerle una inyección.

¡Justo entonces vi mis cosas favoritas del mundo mundial! Estaban cerca de la puerta. ¡Y se llaman muletas!

Las muletas se usan cuando te rompes una pierna. El doctor te pone un yeso blanco y enorme y solo puedes ver los dedos. Y no puedes andar. Y entonces te da las muletas para que te columpies.

Salí disparada a agarrarlas. Me las puse debajo de los brazos. Solo que eran

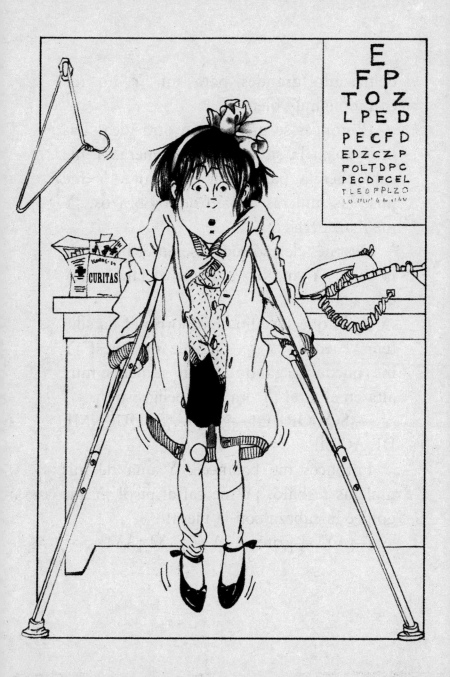

demasiado grandes para mí. Y no me columpié muy bien.

¡Entonces se me ocurrió otra idea! Las llevé hasta la silla de la enfermera. Y me subí encima para estar muy alta. Y me puse las muletas debajo de los brazos. ¡Y me iban perfectas!

Después de eso me puse en el borde de la silla. Y me eché hacia delante muy despacio.

¡Solo que sucedió algo horrible! La silla tenía ruedas. ¡Y se alejó de mis pies! ¡Y me quedé colgando de las muletas muy alta en el aire! ¡Y era muy peligroso!

—¡SOCORRO!—grité—. ¡SÁQUENME DE AQUÍ!

Entonces me balanceé. Y una de mis muletas resbaló. ¡Y me caí al piso! ¡Y me golpeé la cabeza con la mesa!

—¡AY! —grité—. ¡AY! ¡AY! ¡AY!

Volví a agarrar el teléfono.

—¡Renuncio a este trabajo tonto! —dije.

Y salí corriendo de ahí muy rápido.

Porque la oficina de la enfermera es un sitio muy peligroso.

Y las muletas no son mis cosas favoritas.

9 / Velocidad supersónica

Me encanta correr dentro de la escuela.

Es más divertido que correr dentro de casa. En la escuela puedes correr a velocidad supersónica con los brazos abiertos como si fueras un avión. Y no tumbas los muebles. Y tampoco te rompes la cabeza con la estatua del pájaro que tiene tu mamá. Que creo que era un petirrojo.

Salí zumbando hasta la cafetería. Porque en ese sitio hay un montón de mesas para esconderse. Solo que intenté abrir la puerta y estaba cerrada con llave.

Así que fui a otro salón al otro lado del pasillo. Solo que la tonta de esa puerta también estaba cerrada con llave.

—¡Oye! ¿Quién ha sido el tonto que las ha cerrado? —pregunté.

Entonces empecé a dar saltitos. Porque tenía un problemita. Por eso. De esos problemitas que se llaman personales.

Y es que me estaba haciendo pipí.

¡Y de repente tenía que correr por todo el pasillo a velocidad más supersónica!

¿Y sabes qué? Que cuando llegué al baño, la puerta tampoco se abría.

Así que empecé a dar patadas. Y me colgué del picaporte. Porque peso treinta y siete.

—¡ÁBRETE DE UNA VEZ! ¡LO DIGO EN SERIO! —grité.

¡Pero la puerta seguía cerrada!

—¡ES UNA EMERGENCIA! —grité.

Y entonces, de repente, me acordé del niño al que le puedo. Porque él también tuvo una emergencia. Y se metió en el baño de los niños.

Así que salí zumbando por el pasillo. Y tiré de la puerta del baño de los niños. ¡Pero la cosa esa también estaba cerrada!

—¡PUERTAS TONTAS Y MÁS QUE TONTAS! —grité.

Después de eso empecé a correr de un lado a otro muy rápido.

—¡OH, NO! ¡ME LO VOY A HACER EN MI FALDA QUE PARECE DE *CIERTOPELO*!

Solo que de repente recordé algo de las emergencias. Porque mamá me explicó lo que tenía que hacer si alguna vez necesitaba ayuda.

Y eso es ¡llamar al 911!

Así que volví corriendo a la oficina de la enfermera. Porque ahí es donde está el teléfono, ¡claro! Y lo agarré. Y apreté el 9. Y el 1. Y el otro 1.

—¡SOCORRO! ¡ESTO ES UNA EMERGENCIA! —grité—. ¡EN ESTE SITIO TODAS LAS PUERTAS ESTÁN CERRADAS CON LLAVE! ¡Y AHORA VOY A TENER UN ACCIDENTE HORRIBLE!

Entonces oí una voz al otro lado. Dijo que me calmara.

—¡YA, SOLO QUE NO PUEDO! ¡PORQUE TENGO UN PROBLEMA ENORME! ¡Y ESTOY SOLA! ¡Y NECESITO AYUDA URGENTE!

Entonces la señora volvió a decir que me calmara. ¡Solo que yo no me podía calmar! Así que colgué y salí corriendo.

Y seguí corriendo y corriendo hasta que llegué a las puertas grandes que hay al final del pasillo.

¡Y entonces salí afuera! Porque a lo

mejor había un baño ahí afuera o algo así.

Pero allí no había nada. ¡Todo lo que pude oír eran sirenas! Se oían sirenas altísimas por todas partes.

¡Y cada vez estaban más cerca! ¡Y de repente un camión verde de bomberos llegó a toda pastilla! ¡Y un coche blanco de policía! ¡Y una ambulancia roja rapidísima!

¿Y sabes qué más? ¡Que se pararon justo en el estacionamiento de la escuela!

Así que dejé de correr por un segundo. Y olisqueé el aire. ¡Pero no olía a humo!

Entonces oí una voz muy gruñona.

—¡OYE! ¡DETENTE, SEÑORITA! —gritó.

Y me entró mucho miedo por dentro.

Porque solo me llaman señorita cuando me meto en líos.

Me di la vuelta. ¡Era el hombre del cubo! ¡Y venía corriendo hacia mí!

—¡NO DES NI UN PASO MÁS! —volvió a gritar.

Entonces empecé a llorar.

—Ya, solo que hay un problema. Y es que no puedo aguantar más —dije—. ¡Porque ya he aguantado todo lo que podía! ¡Y ahora tengo una emergencia! ¡Y creo que voy a tener un accidente muy rápido!

Entonces el hombre del cubo ya no parecía tan gruñón.

—Pero ¿por qué no lo dijiste antes? —dijo.

Sacó un montón de llaves de su bolsillo. Y me dio la mano.

Y él y yo salimos zumbando de vuelta a la escuela. ¡Superrápido!

10 Yo y la tal Grace

El hombre del cubo abrió la puerta del baño de niñas. Y entré a toda velocidad.

¿Y sabes qué? ¡Que lo conseguí! ¡Así es! ¡No tuve un accidente en mi falda que parece de *ciertopelo*!

—¡Guau! ¡Esa estuvo cerca! —dije.

Entonces, me lavé las manos en el lavabo. Y me miré en el espejo. ¡Y la estrella dorada seguía en mi frente!

Después de eso, fui al pasillo y el señor del cubo se agachó hasta mí.

—¿Está todo bien? —dijo.

Yo asentí con la cabeza.

—Conseguí aguantar —dije muy contenta.

Entonces de repente empezó a venir mucha gente corriendo hacia nosotros.

Eran bomberos. Y policías. Y una señora muy alta que llevaba una camilla con ruedas.

—¡Oiga! —le pregunté al hombre del cubo—. ¿Qué ha pasado? ¿Atropellaron a alguien o algo así?

Entonces vi a Seño y a Director y a mamá. También venían corriendo hacia nosotros.

Después mamá se agachó y me abrazó muy fuerte.

Y todos empezaron a hablar a la vez. Y nadie hablaba en voz baja. Y tampoco nadie sonreía.

Director empezó a hacer *tropecientas mil* preguntas. Eran sobre todo preguntas sobre mi escondite en el armario del material.

—Me escondo muy bien —le dije.

Director estaba un poco enojado. Dijo que no podía hacer eso nunca más.

—Cuando vas a la escuela, tienes que seguir las normas —dijo—. ¿Qué pasaría si todos los niños y las niñas se escondieran en el armario del material después de la escuela?

—Que estaríamos muy apretados —dije.

Entonces frunció el ceño.

—Pero no sabríamos dónde estaría la gente, ¿verdad? —dijo.

—Sí —dije—. Estaríamos todos en el armario del material.

Después Director miró hacia el techo. Yo también miré. Pero no vi nada.

Luego, mamá vio mis curitas.

—¿Te lastimaste? —preguntó.

Así que le conté lo peligrosa que es la oficina de la enfermera. Y le enseñé el suéter morado de la enfermera. Y me hizo devolverlo.

Después de eso, todo el mundo empezó a irse. Los bomberos. Los policías. Y también la señora alta de la camilla.

Por fin mamá me llevó a casa. ¿Y sabes qué? Que no tuve que ir en el tonto del autobús apestoso.

Solo que ir en auto no fue tan divertido. Porque mamá estaba de lo más gruñona conmigo.

—Siento que el viaje en autobús no resultara divertido, Junie B. —dijo—. Pero lo que hiciste está muy, muy mal. ¿No te das cuenta del lío que has montado? Mucha gente estaba preocupada.

—Sí, pero yo no quería que me tiraran leche con chocolate en la cabeza —le expliqué.

—Eso no va a pasar —gruñó mamá—. Y no puedes decidir por tu cuenta que no vas a ir en autobús. Hay miles de niños que van en autobús todos los días. Y si ellos pueden, tú también.

Entonces mis ojos se volvieron a llenar de lágrimas.

—Ya, pero en ese sitio hay niños malos —dije llorosa.

Mamá dejó de estar tan gruñona.

—¿Qué te parece si fueras con una amiga? —dijo—. Tu maestra me dijo que hay una niña de tu salón que mañana va a ir en el autobús por primera vez. A lo mejor te puedes sentar con ella. ¿Te gustaría?

Yo levanté y bajé los hombros.

—Se llama Grace —dijo mamá.

—¿Grace? —dije—. ¡Oye! ¡Yo conozco a la tal Grace! ¡La conocí hoy!

Entonces, cuando llegamos a casa, mamá llamó a la mamá de Grace. Y hablaron. Y luego hablamos yo y la tal Grace. Y yo dije hola y ella dijo hola. Y ella dijo que se sentaría conmigo.

Así que mañana llevaré mi bolsito rojo al autobús. Y lo pondré en el asiento al lado del mío para que nadie se siente.

Nadie excepto la tal Grace, claro.

Y entonces ella y yo seremos amigas. Y nos daremos la mano. Como yo y Lucille.

Me gusta la idea. Creo.

¿Y sabes qué más?

Que creo que mañana me va a gustar el amarillo un poquito.

Acerca de la autora

"Nunca perdí el autobús a propósito", dice Barbara Park. Aunque admite haber ido a la oficina del director por hablar demasiado en clase. "Es curioso —dice—, ¡porque ahora los directores quieren que vuelva a los salones de clases a hablar!"

Barbara Park es autora de libros divertidísimos para chicos y ha recibido muchos premios, incluyendo siete premios elegidos por los niños y cuatro premios ofrecidos por los padres. Vive en Arizona con su marido, Richard, y sus dos hijos, Steven y David.